Le violon

COLLECTION
PAPILLON

La publication de cet ouvrage a été rendue possible grâce aux subventions à l'édition du Conseil des Arts du Canada et du ministère de la Culture du Québec.

Données de catalogage avant publication (Canada)

Allen, Robert Thomas

[Violin. Français]

Le Violon

(Collection Papillon ; 39)
Réédition.
Traduction de: The Violin.
Publ. à l'origine dans la coll.: Collection des Deux Solitudes, jeunesse.
Pour les jeunes.

ISBN 2-89051-573-7

I. Pastic, George. II. Welsh, Andrew. III. Titre. IV. Titre: Violin. Français. V. Collection : Collection Papillon (Éditions Pierre Tisseyre) ; 39.

PS8501.L55V5614 1995   jC813'.54 C95-940019-2
PS9501.L55V5614 1995
PZ23.A44Vi 1995

Dépôt légal : 1er trimestre 1995
Bibliothèque nationale du Canada
Bibliothèque nationale du Québec

Illustrations de la couverture:
Élizabeth Eudes-Pascal
Photographies:
George Pastic

Le violon

Robert Thomas Allen

d'après une histoire de
George Pastic et Andrew Welsh

traduit de l'anglais par
Claire Martin

ÉDITIONS PIERRE TISSEYRE

5757, rue Cypihot — Saint-Laurent (Québec), H4S 1X4

ans le port d'une grande ville, il y avait une petite île. On n'y voyait pas de palmiers ou de fleurs extraordinaires comme on en trouve dans ces îles perdues au bout des océans. Mais, l'hiver, de gros lièvres à queue blanche couraient sur les canaux gelés.

Deux garçons, Christian et Daniel, vivaient là tout l'hiver. Ils jouaient dans la neige. Ils avaient découvert le tronc d'un vieux saule creux.

C'était une bonne cachette pour tous leurs petits trésors.

L'aîné des deux garçons, Christian, était sage et réfléchi.

Depuis bien longtemps, il économisait ses sous afin d'acheter l'objet merveilleux dont il rêvait.

Un matin, il se dit qu'il avait assez d'argent et il alla, avec Daniel, chercher son trésor dans le creux du saule.

— Il est là? cria Daniel.

Christian sortit le gros pot à confiture qui lui servait de tirelire.

— Il est plein. J'en ai assez.

— Et pour faire bonne mesure, il ajouta encore quelques sous.

Excités, les deux garçons se mirent à danser dans la neige et à crier de joie. Puis, ils coururent, à travers les jardins désertés, jusqu'au quai. Là, tout fumant, attendait le bateau que les habitants de l'île utilisaient pour se rendre à la ville.

La sirène du bateau fit «pou, pou» comme pour annoncer au monde entier qu'il allait se passer, aujourd'hui, quelque chose de très important.

Daniel avait perdu ses mitaines, comme d'habitude. Chaque fois que sa mère lui en achetait des neuves, elle les lui attachait à son manteau avec de grosses épingles de nourrice. Puis, elle le regardait dans les yeux en disant: «Ne perds pas celles-là, Daniel.» Mais il les perdait quand même.

Pendant que le bateau filait sur l'eau, Christian, appuyé à la rambarde, pensait que son rêve allait bientôt se réaliser.

— Comment sais-tu que tu vas pouvoir en jouer? demanda Daniel.

— Je sens que je le pourrai, répondit Christian.

La foule coulait, pressée, dans les rues, tout comme s'il n'y avait rien eu dans les vitrines. Et pourtant, Christian en connaissait une, au moins, où l'on pouvait voir une merveille. Ils couraient tous les deux. Et, enfin, ils furent là. Sur un tissu bleu ciel que le soleil d'hiver éclairait, ils aperçurent l'objet magique qui brillait comme un marron frais. Dans un coin de la vitrine, une chatte d'Espagne, jaune, somnolait.

Un violon.

Il était si beau que Christian restait là, à l'admirer, sans songer à entrer. Dire que le violon allait bientôt être à lui.

Il ouvrit la porte. Derrière le comptoir, il y avait un homme qui le regardait. Christian lui expliqua qu'il voulait acheter le violon dans la vitrine et, ce disant, il poussait le pot à confiture sur le comptoir.

— Comment? Tu veux acheter ce violon avec un pot de sous? Mais sais-tu bien que si tu devais payer ce beau violon avec des sous, il faudrait que tu en ramasses pendant des années. Tu aurais une longue barbe grise avant d'en avoir suffisamment.

Devant cette perspective, Christian resta déconfit. Mais Daniel n'allait pas accepter ce refus sans tenter quelque chose. Il avait toujours de petits objets précieux dans ses poches: une jolie bille de verre, une patte de hibou. Il sortit tout ce qu'il avait ce jour-là et l'offrit pour compléter la somme.

— Je n'ai pas besoin d'une patte de poulet, dit l'homme. Avec une patte de poulet, je ne peux pas payer le loyer.

— Mais c'est une patte de hibou, cria Daniel offusqué.

Pour le marchand, cela ne faisait aucune différence. Les deux garçons allaient partir. Ils ouvraient déjà la porte quand l'homme les rappela. Il n'était peut-être pas aussi méchant qu'il en avait l'air.

— Attendez donc un moment... J'en avais un autre... pas mal du tout...

Du fond d'une armoire, après avoir repoussé diverses choses, il sortit un violon qu'il montra à Christian.

— Voilà. Il a tout ce que l'autre a: des cordes, un archet, un creux pour placer le menton. Et, pour un garçon, c'est bien mieux. Celui-là, je peux vous le laisser pour les sous du pot à confiture.

Et puis, les deux enfants reprirent le bateau pour revenir à la maison. Pourtant, Christian n'était pas tout à fait heureux. Il tenait son violon contre lui, mais il n'arrivait pas à croire qu'il était comparable à celui qui, dans la vitrine, brillait doucement comme un marron frais. Rien ne le consolait, même pas l'air joyeux de Daniel.

Et pourtant, il y avait si longtemps qu'il rêvait d'un violon... depuis qu'il avait été à ce concert avec sa maman. Un garçon de son âge était arrivé sur la scène et s'était mis à jouer du violon. Christian ne pourrait jamais oublier l'émotion qui l'avait saisi en entendant cette musique merveilleuse.

Enfin, ils arrivèrent à la maison. Sans attendre, Christian s'empara de l'instrument et le plaça comme il se doit sous son menton. La musique allait surgir, la salle impatiente murmurait. Il leva l'archet et le fit glisser sur les cordes. Rien de ce que Christian attendait ne se produisit. Pas de musique merveilleuse. Seulement un son affreux comme celui d'une porte qui grince.

Daniel se sauva en courant. Il n'osait regarder derrière lui, mais Christian sortit peu après et vint le rejoindre. Ils s'assirent dans l'escalier, en silence. Et puis, Christian dit:

— Ce violon ne vaut rien, je vais le jeter.

Il le remit dans sa boîte et marcha vers le bout du parc. Daniel le suivit.

Il le jeta dans le panier à déchets. Il se sentait un peu soulagé et décida que la meilleure façon de ne plus penser à ce violon c'était de jouer avec Daniel. Justement, il commençait à neiger et les deux enfants se lancèrent quelques boules de neige. Au bout d'un moment, Daniel aperçut quelqu'un au loin qui marchait.

C'était un homme étrange. Comme il approchait, les deux enfants virent qu'il portait un long manteau noir et un haut chapeau, noir aussi. Les pans de son manteau flottaient au vent, ce qui

lui donnait l'air d'un grand oiseau terrifiant. Il marcha jusqu'au banc qui se trouvait près du panier, s'assit et vit tout de suite le violon.

Médusés, les enfants le virent ouvrir la boîte, poser l'instrument sous son menton et l'accorder en tournant les clés. Rien qu'à le voir, on comprenait que cet homme connaissait bien les violons.

— Mon Dieu, il n'a pas entendu ce violon, souffla Christian à Daniel. Je me demande ce qu'il fera quand il entendra ces sons horribles.

La neige tombait tout autour. Le vieil homme se mit à jouer et rien de plus beau n'était jamais venu jusqu'aux oreilles de Christian.

Les deux enfants s'approchèrent du vieillard et se tinrent, muets, derrière le banc. Le musicien jouait comme en un rêve et ne les entendit pas. Peu à peu, Christian comprenait que ce n'était pas le violon qui était mauvais, mais que c'était lui-même qui ne savait pas en tirer ce qu'il pouvait donner. Il avait besoin d'apprendre avec quelqu'un qui savait jouer.

— Je ne l'ai pas vraiment jeté, souffla Daniel. Je l'ai juste mis là pour un moment.

— Daniel se retint de rire, car il savait bien que

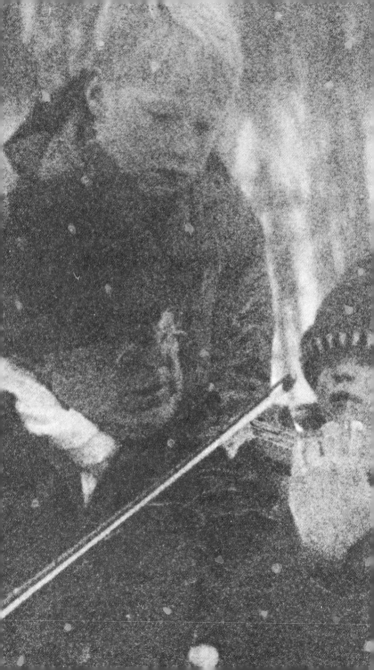

cela n'était pas vrai, mais il comprenait que Christian venait de trouver une raison pour redemander son violon sans perdre la face.

L'homme remit l'instrument dans sa boîte et s'en alla. Sans rien dire, les deux enfants se mirent à trottiner derrière.

Que va-t-il se passer, se demandait Christian, quand je lui demanderai mon violon? Va-t-il me croire? Daniel, lui, ne s'inquiétait pas. Il finit par rattraper le vieil homme, lui tira la manche et dit sans hésiter: «C'est notre violon.»

Christian se mit, alors, à raconter toute son aventure et sa déception. Le vieil homme l'écoutait en souriant, d'un sourire si heureux que les enfants comprirent que, non seulement il allait rendre le violon, mais qu'il allait donner beaucoup plus.

— Je vais vous montrer où j'habite. Allez demander à vos parents la permission de venir chez moi. Pendant ce temps, je vais polir le violon et l'accorder.

Les enfants coururent demander cette permission et revinrent aussi vite, et c'est alors qu'ils découvrirent la maison la plus extraordinaire du monde. C'était une belle maison, mais il y régnait un désordre inouï. Il y avait partout des piles de livres, de musique en feuilles, des tasses, des assiettes. Sur la table, un lapin sautait et un pigeon roucoulait dans une cage. Quand quelque chose tombait, et beaucoup de choses tombaient car rien n'était solide, le vieil homme disait: «Laissez, laissez.» Une ombrelle rose dégringola de la bibliothèque.

— Laissez-la par terre. C'est une ombrelle que j'ai trouvée. Quand je me promène en barque, je m'en sers pour me protéger du soleil.

Il y avait, dans cette maison, tant de choses dont aucune n'était à sa place, qu'une chatte aurait pu y perdre ses petits. Après avoir regardé partout avec Daniel, Christian demanda au vieil homme de jouer encore une fois du violon. L'homme ne demandait pas mieux et il joua un air léger, rapide et presque drôle.

Il joua pour le pigeon. Il joua pour le lapin. Il joua pour les deux enfants. Comme cela semblait facile! Si facile que Christian voulut essayer encore une fois, mais il ne produisit que des sons si horribles que cela chassa Daniel hors de la maison.

Maintenant, Christian savait qu'il voulait plus que tout, apprendre à jouer du violon. Le vieillard commença par lui montrer comment l'instrument était fait, ce qu'étaient les clefs, l'âme et ce qu'il était, comparé aux autres instruments. Il lui dit qu'un violon peut donner presque autant de sons différents que la voix humaine.

Comme le chanteur, le violon peut donner des notes hautes ou basses, des sons gais ou tristes, légers ou puissants.

Il lui dit que les violons ont d'abord été fabriqués, il y a plus de quatre cents ans, à Crémone, en Italie. Un de ces luthiers — c'est le nom qu'on donne au fabricant de violons — s'appelait Stradivarius. C'est le plus célèbre luthier de tous les temps.

Puis, il montra à Christian la bonne manière de tenir le violon et comment faire glisser l'archet sur les cordes. Ce faisant, il tira de l'instrument un son doux et suave. Tout de suite, Christian voulut essayer de nouveau, mais encore une fois

on aurait dit qu'il voulait
imiter le bruit de la scie.
Pour le consoler, le vieil
homme l'invita à revenir et
lui promit de lui donner des
leçons.

es mois passèrent et il continuait de donner des leçons à Christian. Parfois, il s'arrêtait et se mettait à rêver. Il disait: «Je me souviens...» et il racontait quelque chose qui s'était passé bien des années auparavant.

Il parlait souvent d'un village entouré de montagnes dont les sommets se doraient sous le soleil et, aussi, de

belles grandes villes où se donnaient des concerts, où les gens aimaient la musique et, semblait-il, ne parlaient et ne vivaient que de musique. Et puis, il racontait des voyages dans des pays lointains où il n'était question aussi que de musique. Christian l'écoutait comme on écoute un conte de fées.

Et puis, ce fut le printemps. La neige fondit, l'eau redevint bleue, les saules se mirent à ressembler à des fontaines vertes. Le professeur semblait content de son élève. Quand il faisait beau, il emmenait Christian au bord de l'eau et là, assis sur les rochers, ensemble ils jouaient des duos.

Il parlait de plus en plus souvent du pays de montagnes qu'il avait connu quand il était petit et il s'arrêtait pour rêver. Un jour, Christian lui dit qu'il ne pourrait plus se séparer de son violon – qu'il avait pourtant voulu jeter un jour – et le vieil homme répondit:

— Nous sommes souvent bien trop attachés aux objets. Tu vois, mon violon, c'est pour moi un très vieil ami, mais si je devais m'en séparer, je ne cesserais pas pour autant d'aimer la musique.

Quelle étrange réponse! pensa Christian. Il y pensa quelque temps, et puis il l'oublia parce qu'il s'amusait tellement. Souvent, ils partaient tous les trois, le professeur, Daniel et Christian. Ils prenaient le bateau et allaient faire des promenades et des pique-niques. Après quoi, l'élève jouait un morceau pendant que le professeur, étendu dans l'herbe, écoutait en contemplant le ciel bleu.

Un jour, ils allèrent au jardin zoologique où Daniel courut d'un animal à l'autre et leur parla comme à des amis intimes. Quant à Christian, il préférait s'imaginer que les bêtes n'étaient pas en captivité, que les chameaux marchaient dans la poussière du désert, au sein d'une caravane, que les cerfs couraient dans les forêts du Nord, que les renards sortaient de leurs terriers quand la rosée du soir commençait à tomber.

Christian connaissait son violon aussi bien que le visage de Daniel. Il savait qu'une des clefs avait perdu un petit éclat de bois et que le grain du bois formait un petit rond qui ressemblait à un œil qui le regardait amicalement pendant qu'il jouait.

Pourtant, quand à la fin de l'été il jouait près du petit pont de bois, il se sentait un peu triste. Quelques feuilles tombaient autour de lui, comme de grosses larmes, et semblaient lui dire qu'il vient un moment où les amis doivent se séparer.

Les deux enfants venaient souvent jouer sur le pont de bois. Christian prenait son violon et Daniel son épuisette pour pêcher. Pêcher, pour Daniel, signifiait ramasser quelques vairons, les mettre dans un bocal et les regarder. Ce jour-là, juste comme Christian commençait à jouer sa plus belle pièce, Daniel l'appela: son épuisette s'était accrochée à quelque chose au fond de l'eau. Abandonnant son violon, Christian accourut.

— Attends un peu, je vais t'aider.

Mais Daniel ne voulait pas être aidé. Il voulait seulement montrer à Christian comment son épuisette s'était accrochée.

— N'y touche pas. Laisse-moi faire tout seul.

Et voilà les deux enfants poussant, tirant, si bien que Christian finit par tomber à la renverse.

On entendit un horrible craquement...

Christian se releva et sortit le violon de sa boîte. Quel spectacle affreux! Tout était cassé, défoncé, les cordes étaient distendues comme de vieilles ficelles. Pour Christian, tout était fini. Cependant, Daniel, effaré, parlait, parlait...

— Je vais le réparer, je vais le clouer, le coller... Je vais t'en acheter un autre...

— Je ne jouerai plus jamais le violon, soupira Christian. Et il ne dit plus rien.

Il s'assit, le dos appuyé au garde-fou. Il était si malheureux qu'il se sentait malade. Il entendit bien Daniel qui courait, mais il y prêta à peine attention. Et cependant, c'était à la recherche du vieil homme que Daniel était parti, sûr que lui saurait ce qu'il fallait faire.

Quand il arriva à la maison du musicien, Daniel trouva un mot épinglé sur la porte, un mot qui commençait par: «Mes chers enfants...»

L'homme n'était donc pas là... Mais où le trouver? Il allait souvent marcher au bord de l'eau.

C'est là qu'il fallait le chercher. Daniel repartit en
courant.

Enfin, il l'aperçut.

— J'ai cassé le violon. C'est Christian qui l'a cassé en tombant dessus, mais c'est moi qui l'ai poussé. Christian est assis sur le pont. Il dit que plus jamais il ne pourra jouer du violon.

— Christian ne devrait pas parler ainsi...

Le vieillard semblait triste, triste...

— Attends un peu ici, Daniel. Il faut que je parle à Christian tout seul.

Et il se hâta vers le pont.

Daniel était sûr que le vieux musicien savait ce qu'il fallait faire, mais celui-ci n'était sûr de rien du tout. Il se hâtait vers le pont en se disant qu'il avait à prendre une dure décision. Et si cette décision était si difficile à prendre c'était parce qu'il ne savait pas si ce qu'il voulait faire aiderait Christian ou non. Le talent n'est qu'un commencement. Il faut y ajouter des années et des années de travail. Christian deviendrait-il, un jour, un musicien? Tout en marchant, le vieil homme se disait qu'il n'y avait, pourtant, qu'une seule chose à faire.

Christian, levant la tête, aperçut son professeur debout devant lui, avec son long manteau, son vieux chapeau, son visage inquiet, et sa boîte à violon sous le bras.

— Daniel m'a raconté ce qui est arrivé.

Puis sortant son violon de la boîte, il le tendit à Christian.

— Je te le donne. Je peux en acheter un autre, plus tard. Mais toi seul sais si tu peux travailler suffisamment pour devenir, un jour, un bon musicien.

Christian secoua la tête. Il ne pouvait pas parler. Il ne voulait pas prendre le violon du vieux monsieur. Il ne voulait plus jouer. Il avait le sentiment qu'il ne pourrait plus jamais jouer.

Le vieillard s'éloigna de quelques pas, puis il resta longtemps près du pont, sur le sentier, pensif. Après plusieurs minutes, il posa son violon, reprit ses valises, la cage du pigeon et s'en alla, lentement.

Le temps passait et Christian était toujours assis par terre, réfléchissant, quand Daniel arriva en courant, tenant une feuille de papier à la main.

— Christian, Christian! J'ai trouvé ça épinglé sur sa porte. Il est parti. Le pigeon et le lapin aussi. J'ai peur que nous ne le revoyions jamais.

Christian se leva et se mit à courir. Daniel partit derrière, mais il revint prendre le violon, rattrapa Christian.

— Où peut-il être? criait Daniel.

— Je ne sais pas.

Tout en courant, ils arrivèrent près de leur vieux saule creux, celui où ils avaient caché le pot à confiture plein de sous... il y avait si longtemps...

Christian grimpa à l'arbre et regarda tout autour.

— Je le vois. Il est dans son bateau. Il rame. Il s'en va.

Et les voilà partis en courant à travers les bois, et puis les jardins, et puis la jetée, jusqu'à ce qu'ils arrivent aux rochers où le professeur et l'élève avaient si souvent joué leurs duos. De là, ils virent l'homme qui ramait à l'ombre du parasol rose, avec à son côté, le pigeon et le lapin. Comme il

était déjà loin! Trop loin peut-être pour entendre leurs cris, trop loin sur l'eau et trop loin dans la vie.

Pendant qu'il regardait, Christian se sentit poussé. C'était Daniel qui voulait lui mettre le violon dans les mains. Oui, c'était bien cela qu'il fallait faire: jouer. Du plus loin qu'il était, le vieux musicien entendrait la musique. Mais, Christian saurait-il jouer de ce violon-là? Il n'avait jamais touché qu'à celui qui gisait, cassé sur le pont. Le violon du professeur, entre les mains de l'élève, n'allait peut-être donner qu'un son grinçant. Pourtant, l'instrument trouvait bien sa place sous le menton.

Christian se mit à jouer un air que le vieillard lui avait appris.

Il jouait, jouait, comme si l'homme était près de lui et lui donnait ses conseils. La musique portait sur l'eau bleue, s'enflait et courait très loin.

— Il t'entend, cria Daniel.

Puis, il se mit à pleurer.

— Nous ne le reverrons jamais.

Christian feignit de ne rien entendre.

Quand il eut fini de jouer, il soupira:

— Celui qui a donné de la musique au monde n'est jamais tout à fait parti.

REMINISCENCE

Music by Maurice Solway

Collection Papillon